KB094483

읽으면서 익히는
개념 정리 노트

★ 이 노트는 <수학으로 통하는 과학> 시리즈의 독서 후 활동으로 활용할 수 있습니다.

★ 이 노트는 채점을 위한 시험이 아닙니다.
  얼마나 책을 잘 읽었는지, 잘 이해하고 있는지를 스스로 확인해 봅니다.

개념 정리 노트 활용하기!

❶ 책을 읽고 난 뒤에 노트를 보면서 개념을 한 번 더 정리합니다.

❷ 책에서 읽은 이야기를 떠올리면서 노트에 있는 물음에 답해 봅니다.

❸ 책에서 배운 내용을 토대로 더 깊게 생각하는 문제들을 풀어 보고,
  자신의 생각을 논리적으로 적어 보도록 합니다.

❹ 공부한 내용을 잘 익혔는지 정답과 풀이에서 확인하도록 합니다.

❺ 노트에는 초등학교뿐만 아니라 중학교에서 배우는 내용도 포함되어 있습니다.
  중학교에 들어가기 전에 먼저 공부하는 학습서로도 활용할 수 있습니다.

16

조선시대로 간 소년
자료와 가능성을 만나다!

김혜진, 조영석 글 · 이지후 그림

분야   어린이 / 초등 학습 / 수학 / 과학

키워드   #STEAM #기압과 날씨 #지시약 반응 #공기의 순환 #자료와 가능성

스마트폰으로 게임하는 것을 좋아하는 석정이. 여느 때처럼 한창 스마트폰에 열중해 있는데 느닷없이 게임에 초대한다는 메시지가 도착한다. 석정이는 게임이라는 글자에 끌려 메시지에 적힌 링크를 누르는데, 갑자기 주변이 빙글빙글 돌더니 눈이 감긴다. 잠시 후, 눈을 떠 보니 석정이는 조선 시대에 와 있고, 주어지는 문제를 모두 풀어야 집으로 돌아갈 수 있다는 메시지가 도착한다. 석정이는 그곳에서 만난 또래 친구 홍찬이와 함께 여러 문제를 차근차근 해결해 간다. 석정이는 과연 모든 문제를 해결하고 집으로 돌아갈 수 있을까?

교과 연계

	1학년	2학년	3학년	4학년	5학년	6학년	중학교
수학						★	★
과학				★	★	★	★

단원 안내

[초등수학 6-1] 5. 여러 가지 그래프

[초등과학 4-2] 2. 물의 상태 변화

[초등과학 5-1] 4. 용해와 용액

[초등과학 6-2] 2. 계절의 변화

1. 막대그래프 초등수학 6-1

수로 이루어진 자료를 막대로 나타낸 그래프로, 수량의 많고 적음을 한눈에 쉽게 비교할 수 있습니다. 다음과 같은 방법으로 막대그래프를 그릴 수 있습니다.

① 가로와 세로 눈금에 나타낼 것을 정합니다.

② 세로 눈금 한 칸의 크기를 정합니다.

③ 각 자료에 알맞게 막대를 그립니다.

2. 꺾은선그래프 초등수학 6-1

수로 이루어진 자료에서 수량을 점으로 표시하고 그 점들을 선분으로 이어 그린 그래프로, 수량이 변화하는 모양과 정도를 쉽게 알 수 있습니다. 또 조사하지 않은 중간 값을 예상할 수 있습니다. 다음과 같은 방법으로 꺾은선그래프를 그릴 수 있습니다.

① 가로와 세로 눈금에 나타낼 것을 정합니다.

② 세로 눈금 한 칸의 크기를 정합니다.

③ 조사한 수량에 알맞게 가로, 세로의 눈금의 만나는 자리에 점을 찍습니다.

④ 각 점을 선분으로 잇습니다.

3. 저기압과 고기압 초등과학 6-2

주위보다 기압이 높은 곳을 고기압이라고 하고, 주위보다 기압이 낮은 곳을 저기압이라고 합니다. 고기압과 저기압은 주변 기압과 비교하여 상대적으로 정해집니다.

4. 윷놀이에서 가능성 중학교 수학

윷놀이에서 윷을 던질 때 나올 수 있는 경우는 도, 개, 걸, 윷, 모 총 5가지입니다. 도가 나올 가능성은 $\frac{4}{16}$, 개가 나올 가능성은 $\frac{6}{14}$, 걸이 나올 가능성은 $\frac{4}{16}$, 윷과 모가 나올 가능성은 각각 $\frac{1}{16}$입니다.

5. 마방진 중학교 수학

마방진에서는 가로, 세로, 대각선 어느 방향으로 더해도 모두 같은 수가 나옵니다.

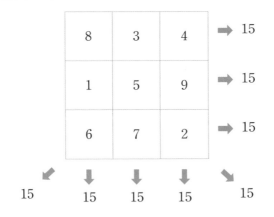

6. 가로세로 세 칸으로 된 마방진을 만드는 방법 중학교 수학

① 가로세로 세 칸을 만들 수 있도록 선을 긋습니다.

② 아래 그림과 같이 대각선을 긋습니다.

③ 대각선을 따라 1부터 9까지의 수를 순서대로 적습니다.

④ 노란 칸에만 수를 써야 하기 때문에 중간에 있는 5를 중심으로 왼쪽에 있는
   7은 오른쪽 칸에, 오른쪽에 있는 3은 왼쪽 칸에 놓습니다.

⑤ 마찬가지로 5를 중심으로 위쪽에 있는 1은 아래 칸에, 아래쪽에 있는 9는
   위 칸에 놓습니다.

⑥ 가로세로 세 칸으로 된 마방진이 완성됩니다.

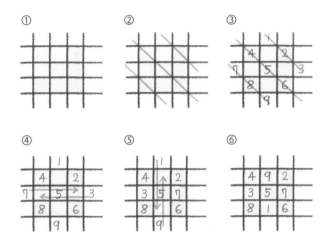

※ 완성된 칸에 있는 수는 5를 중심으로 회전시키면 수의 위치가 다양하게 바뀔 수
   있습니다.

9

7. 가로세로 네 칸으로 된 마방진을 만드는 방법 중학교 수학

① 가로세로 네 칸을 만들 수 있도록 선을 긋습니다.

② 위에서부터 순서대로 1부터 16까지 적습니다.

③ 아래 그림과 같이 대각선을 긋습니다.

④ 대각선이 지나는 칸은 적힌 수를 지웁니다.

⑤ 대각선을 기준으로 안쪽에 있는 6과 11, 바깥쪽에 있는 1과 16의 위치를 서로 바꾸어 줍니다.

⑥ 마찬가지로 반대쪽 대각선을 기준으로 안쪽에 있는 7과 10, 바깥쪽에 있는 4와 13의 위치를 서로 바꾸어 주면 마방진이 완성됩니다.

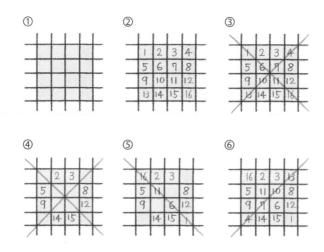

※ 완성된 칸에 있는 수를 가운데 중심을 기준으로 회전시키면 위치가 다양하게 바뀔 수 있습니다.

8. 육각형으로 마방진 만드는 방법 중학교 수학

① 맨 위에 있는 붉은 꼭짓점에 1을 적습니다.

② 아래에 있는 붉은 꼭짓점에 그림처럼 각각 4와 1을 더한 수를 반복해서 적습니다.

③ 이와 같은 방법으로 붉은 꼭짓점에 15까지 적을 수 있습니다.

④ 맨 아래에 있는 푸른 꼭짓점에 16을 쓰고, 위에 있는 푸른 꼭짓점에 그림처럼 각각 1과 4를 더한 수를 반복해서 적습니다.

⑤ 완성된 새로운 형태의 마방진은 그림과 같습니다.

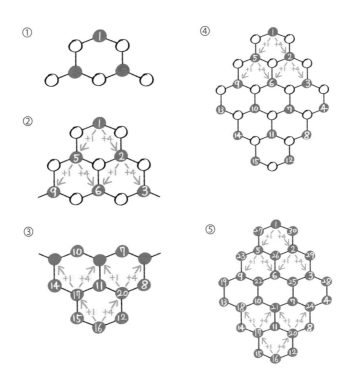

9. 최석정 중학교 수학

조선 시대에 최석정이라는 위대한 수학자가 있었습니다. 명문가에서 태어난 최석정은 어렸을 때부터 총명하여 17세에 초시 장원을 했습니다. 우의정, 좌의정, 영의정을 모두 지냈으며 오늘날 국무총리에 해당하는 영의정만 8번을 지냈으니 말 그대로 엘리트 정치인, 관료의 삶을 살았다고 할 수 있습니다.

10. 지시약 초등과학 5-1

지시약은 화학적 변화가 일어나는 과정을 명확하게 관찰할 수 있도록 넣어 주는 물질을 말합니다. 관찰할 수 있는 화학적 변화는 색의 변화, 침전 형성, 거품 형성, 온도 변화 등이 있는데, 화학 지시약들은 대체로 색의 변화를 통해서 화학반응을 확인할 수 있습니다. 지시약의 종류에는 산염기 지시약, 산화 환원 지시약, 착물 지시약, 금속이온 지시약, 흡착 지시약 등이 있습니다.

11. 평균 중학교 수학

평균이란 어떤 값들로 이루어진 자료들을 대표하는 값으로, 집합의 적절한 특징을 나타내거나 요약합니다. 평균은 자료 전체의 합을 자료의 개수로 나누어 구할 수 있습니다.

12. 해풍과 육풍 초등과학 6-2

육지는 비열이 낮아서 바다에 비해 빨리 뜨거워지고 빨리 식습니다. 온도가 올라가면 공기 분자의 활동이 활발해지고 공기가 상승하여 기압이 낮아집니다. 지표면에서 공기는 기압이 높은 곳에서 낮은 곳으로 이동하는데, 이러한 공기의 이동을 바람으로 느낄 수 있습니다. 바람이 바다에서 육지 쪽으로 불어오면

'해풍', 육지에서 바다 쪽으로 불어오면 '육풍'이라고 합니다.

13. 속력 중학교 수학

속력은 단위시간 동안에 물체가 이동한 거리를 말합니다. 속력의 단위는 m/s, km/h, cm/s, m/min 등이 있습니다.

$$(속력) = \frac{(이동\ 거리)}{(걸린\ 시간)}$$

14. 부력 초등과학 4-2

물체를 둘러싼 물과 같은 유체가 물체를 위로 밀어 올리는 힘을 부력이라고 하며, 그 크기는 물체가 밀어 낸 부피만큼의 유체 무게와 같습니다.

바닷물에서 작용하는 부력은 물 입자의 밀도와 주위 바닷물의 밀도 차이로 생기는 힘을 가리킵니다. 따라서 부력은 압력 경도력, 바람 응력과 함께 해양에서 운동을 일으키는 주요한 힘입니다.

이야기를 떠올리며 물음에 답하기

1. 석정이가 날씨 책에 나와 있는 월별 강수량의 변화를 알아보기 위해 떠올린 막대그래프와 꺾은선그래프에 대해 설명해 보세요.

....

....

....

2. 줄지어 이동하고 있는 개미 떼를 보면서 석정이가 이야기한 저기압과 고기 압을 이야기해 보세요.

....

....

....

3. 누렁이가 물어 온 것은 윷놀이 도구입니다. 윷놀이에서의 가능성에 대하여 설명해 보세요.

....

....

....

4. 다음은 거북이 등에 새겨졌던 것과 같은 마방진입니다. 빈칸에 들어갈 수를 적어 보세요.

6	1	8
7	5	3
( )	9	4

5. 훈장님이 석정이와 홍찬이에게 알려준 가로세로 네 칸으로 된 마방진을 만드는 방법을 떠올리면서 빈칸에 들어갈 수를 생각해 보세요.

16	2	3	(①)
5	11	10	8
(②)	7	6	12
4	14	15	1

6. 석정이가 육각형으로 마방진을 만든 방법을 설명해 보세요.

....

....

....

....

7. 범인을 찾아내기 위해 석정이가 사또에게 알려준 물질에 대해 말해 보세요.

....

....

....

....

8. 아빠가 석정이에게 설명해 준 해풍과 육풍에 대해 이야기해 보세요.

....

....

....

....

1. A지점에서 B지점으로 가는 길은 3가지, B지점에서 C지점으로 가는 길은 4가지일 때, A에서 출발하여 B를 지나 C로 가는 경우의 수를 구해 보세요.

2. A주머니와 B주머니에서 각각 1개의 공을 꺼내려고 합니다. A주머니에서 흰 공, B주머니에서 검은 공이 나올 확률을 구해 보세요.

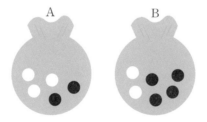

3. 다음 수들의 평균을 구해 보세요.

> 2, 3, 3, 5, 6, 7, 9

4. a, b, c의 평균이 5일 때, $3a$, $3b$, $3c$의 평균은 얼마일지 생각해 보세요.

5. 적양배추 물을 지시약으로 사용했을 때 산성인 감식초는 붉은색으로 변합니다. 그렇다면 염기성인 석회수, 비눗물, 양잿물에 적양배추 물을 지시약으로 사용했을 때는 무슨 색으로 변할지 생각해 보세요.

정답 및 풀이

이야기를 떠올리며 물음에 답하기

1.
수로 이루어진 자료를 막대로 나타낸 그래프를 막대그래프라고 합니다. 막대그래프는 표에 비해 수량의 많고 적음을 한눈에 쉽게 비교할 수 있습니다.

꺾은선그래프는 수로 이루어진 자료에서 수량을 점으로 표시하고 그 점들을 선분으로 이어 그립니다. 꺾은선그래프는 표에 비해 수량이 변화하는 모양과 정도를 쉽게 알 수 있고, 조사하지 않은 중간 값을 예상할 수 있습니다.

2.
주위보다 기압이 높은 곳을 고기압이라고 하고, 주위보다 기압이 낮은 곳을 저기압이라고 합니다. 고기압과 저기압은 주변 기압과 비교하여 상대적으로 정해집니다.

3.
윷놀이에서 윷을 던질 때 나올 수 있는 경우는 도, 개, 걸, 윷, 모 총 5가지입니다. 도가 나올 가능성은 $\frac{4}{16}$, 개가 나올 가능성은 $\frac{6}{16}$, 걸이 나올 가능성은 $\frac{4}{16}$, 윷과 모가 나올 가능성은 각각 $\frac{1}{16}$입니다.

4. 2
마방진에서는 가로, 세로, 대각선 어느 방향으로 더해도 모두 같은 수가 나옵니다. 가로세로 세 칸으로 된 마방진에서는 한 줄에 있는 숫자의 합이 15가 되어야 합니다.

5. ① 13 ② 9

가로세로 네 칸으로 된 마방진에서는 한 줄에 있는 숫자의 합이 34가 되어야 합니다.

6. 육각형으로 마방진을 만드는 방법

① 맨 위에 있는 육각형의 꼭짓점에 1을 적습니다.

② 그 아래에 있는 양쪽의 꼭짓점에 각각 4와 1을 더한 수를 반복해서 적습니다.

③ 이와 같은 방법으로 15까지 적어 내려갈 수 있습니다.

④ 맨 아래에 있는 육각형의 꼭짓점에 16을 쓰고, 그 위에 있는 양쪽의 꼭짓점에 각각 1과 4를 더한 수를 반복해서 적으면서 올라갑니다.

⑤ 이와 같은 방법으로 30까지 적어 올라갈 수 있습니다.

7.

감식초는 적양배추 물과 만나면 붉게 변하는 성질이 있습니다. 이처럼 화학적 변화가 일어나는 과정을 명확하게 관찰할 수 있도록 도와주는 물질을 지시약이라고 합니다. 관찰할 수 있는 화학적 변화는 색의 변화, 침전 형성, 거품 형성, 온도 변화 등이 있는데, 화학 지시약들은 대체로 색의 변화를 통해서 화학반응을 확인할 수 있습니다. 지시약의 종류에는 산염기 지시약, 산화 환원 지시약, 착물 지시약, 금속이온 지시약, 흡착 지시약 등이 있습니다.

8.

육지는 비열이 낮아서 바다에 비해 빨리 뜨거워지고 빨리 식습니다. 온도가 올라가면 공기 분자의 활동이 활발해지고 공기가 상승하여 기압이 낮아집니다. 지표면에서 공기는 기압이 높은 곳에서 낮은 곳으로 이동하는데, 이러한 공기의 이동을 바람으로 느낄 수 있습니다. 바람이 바다에서 육지 쪽으로 불어오면 '해풍', 육지에서 바다 쪽으로 불어오면 '육풍'이라고 합니다.

더 깊게 알아보기

1. 12가지

A지점에서 B지점으로 가는 경우의 수는 3가지, B지점에서 C지점으로 가는 경우의 수는 4가지이므로, A지점에서 출발해 B지점을 거쳐 C지점으로 가는 경우의 수는 $3 \times 4 = 12$가지입니다.

2. $\frac{2}{5}$

A주머니에서 흰 공이 나올 확률은 $\frac{3}{5}$입니다. 그리고 B주머니에서 검은 공이 나올 확률은 $\frac{4}{6}$입니다. 따라서 A주머니에서 흰 공, B주머니에서 검은 공이 나올 확률은 $\frac{3}{5} \times \frac{4}{6} = \frac{2}{5}$입니다.

3. 5

평균은 각 수들의 합을 수의 개수로 나누어 구할 수 있습니다.

$$\frac{2+3+3+5+6+7+9}{7} = \frac{35}{7} = 5$$

4. 15

$\frac{a+b+c}{3} = 5$이므로 a, b, c의 합은 15입니다.

$\frac{3a+3b+3c}{3} = \frac{3(a+b+c)}{3} = a+b+c$이므로 $3a$, $3b$, $3c$의 평균은 15입니다.

5.

적양배추 물이 감식초와 같은 산성용액을 만났을 때는 붉은색으로 변합니다. 반면에 염기성인 석회수, 비눗물, 양잿물을 만나면 푸른색으로 변합니다.

경우의 수로 레이싱에서 이겨라

서원호, 안소영 글 · 김영진 그림

분야	어린이 / 초등 학습 / 수학 / 과학
키워드	#STEAM #힘의 원리 #경우의 수 #교통수단 #속도와 속력

마루는 어느 날 레이싱 게임을 하다가 수상한 초대장을 받는다. 씽씽랜드의 레이싱 대회에 초대하는 메시지였는데, 옆에 있던 동생 루이가 참가 버튼을 눌러 본의 아니게 게임 속 세상으로 들어간다. 둘은 그곳에서 미래에서 온 미로, 사막에서 만난 낙타 친구들, 씽씽랜드에서 만난 자동차 투니와 함께 레이싱 대회에 참가한다. 사막, 바다, 하늘, 우주까지 여러 곳을 다양한 교통수단으로 다니면서 힘의 원리와 경우의 수를 깨우친 마루와 루이는 레이싱 대회에서 우승을 차지하고 무사히 집으로 돌아갈 수 있을까?

교과 연계

	1학년	2학년	3학년	4학년	5학년	6학년	중학교
수학					★	★	★
과학					★		★

단원 안내

[초등수학 5-2] 6. 평균과 가능성

[초등수학 6-1] 6. 직육면체의 부피와 겉넓이

[초등과학 5-2] 4. 물체의 운동

1. 증기자동차 초등과학 5-2

동물의 힘이 아닌 증기기관으로 움직이는 자동차는 1769년 프랑스의 발명가 니콜라 조제프 퀴뇨가 포차를 끌기 위해 처음 만들었습니다. 19세기 중엽 영국 이나 유럽 등의 여러 나라에서는 대형 증기자동차를 이용하여 장거리 대량 수 송이 이루어졌습니다. 그 뒤 차츰 소형 개인용 증기자동차도 만들어졌으나, 19 세기 말 가솔린 자동차가 실용화되면서 점점 사라졌습니다.

2. 수증기 초등과학 5-2

기체 상태의 물을 수증기라고 부릅니다. 수증기는 액체 상태의 물이 증발, 기화 하거나 고체 상태의 얼음이 승화하면서 만들어집니다. 다른 상태의 물과 달리 수증기는 눈에 보이지 않습니다.

3. 뉴턴의 제3법칙 초등과학 5-2

모든 작용에는 크기는 같고 방향이 반대인 반작용이 존재합니다. 우리가 걸을 때 다리는 땅을 밀고, 이 반작용으로 땅도 다리를 밀어 냅니다. 이 때문에 사람 과 땅 양쪽에 크기가 같고 방향이 반대인 힘이 작용하게 됩니다.

4. 추진체 초등과학 5-2

추진체는 어떤 물체가 나아가는 데 사용되는 물질이 담긴 몸체를 말합니다. 추진체는 움직이는 물체가 지정 속도와 궤도에 진입할 수 있도록 보조 역할을 합니다.

5. 교통수단 초등과학 5-2

자전거, 오토바이, 자동차, 기차, 선박, 비행기처럼 사람과 물자를 쉽게 옮길 수 있게 해 주는 수단입니다. 옛날에는 걸어 다니거나 나귀나 말이 끄는 수레나 마차, 뗏목 등 자연과 동물의 힘을 이용한 교통수단을 주로 이용했습니다. 오늘날에는 다양한 교통수단의 발달로 지역 및 나라 간의 교류가 활발해졌고, 우리 생활에도 많은 변화가 나타났습니다.

6. 직육면체의 부피 초등수학 6-1

부피란 공간에서 한 물체가 차지하는 크기를 말합니다. 직육면체의 부피는 밑면의 넓이와 높이의 곱으로 구할 수 있습니다.

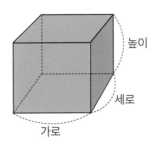

7. 연료별 특징 초등과학 6-2

휘발유	장점	• 전기나 수소와 달리 쉽게 구할 수 있습니다.
	단점	• 휘발유를 태울 때 공기를 오염시키는 배기가스가 나옵니다. • 무거운 엔진 때문에 연료 효율이 떨어집니다.
전기	장점	• 배기가스가 없어 친환경적입니다. • 가벼운 모터 덕에 효율적입니다.
	단점	• 충전에 오랜 시간이 걸리며, 한 번의 충전으로 먼 거리를 달리지는 못합니다.
수소	장점	• 같은 양으로 휘발유 연료에 비해 더 먼 거리를 달릴 수 있습니다. • 전기 연료에 비해 연료를 보충하는 시간이 짧습니다.
	단점	• 수소를 연료로 사용할 때 필요한 연료전지가 비쌉니다.

8. 메르카토르 도법 중학교 과학

지도를 그리는 방법 중 하나로, 지구를 원통에 넣고 중심에서 불을 비췄을 때 원통에 비치는 그림자를 그대로 그리는 원통 도법을 이용합니다. 그림자를 그린 후에는 남극이나 북극의 왜곡된 부분을 보정해서 지도에 표현합니다.

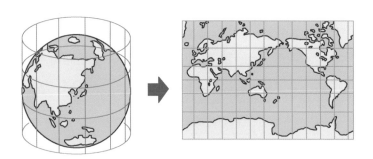

9. 대권항로 중학교 과학

지구의 중심을 통하는 원의 호를 대권이라고 합니다. 지표면 위에 있는 두 지점 사이의 최단 경로는 대권을 따릅니다. 즉, 지구에서 두 지점을 가장 짧게 연결하는 길이 대권항로이며, 북극권을 중심으로 많이 개발되었습니다.

10. 연료전지 중학교 과학

연료전지는 연료와 산화제를 전기화학적으로 반응시켜 전기에너지를 발생시키는 장치입니다. 보통의 전지는 전지 내에 미리 채워 놓은 화학물질에서 나오는 화학에너지를 전기에너지로 전환하지만, 연료전지는 지속적으로 연료와 산소의 공급을 받아서 화학반응을 통해 지속적으로 전기를 공급합니다.

11. 세 변의 길이가 정해진 삼각형을 그리는 방법 중학교 수학

① 먼저 한 변을 긋습니다.

② 컴퍼스를 다른 한 변의 길이만큼 벌린 다음, 먼저 그은 변의 한 꼭짓점을 중심으로 선을 긋습니다.

③ 컴퍼스를 나머지 한 변의 길이만큼 벌린 다음, 먼저 그은 변의 다른 쪽 꼭짓점을 중심으로 선을 긋습니다.

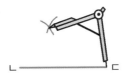

④ 컴퍼스로 그은 두 선이 만난 지점을 꼭짓점으로 하여 두 선분을 긋습니다.

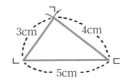

12. 빅 데이터 중학교 과학

기존의 방식으로는 관리할 수 없는 방대한 양의 데이터를 빅 데이터라고 부릅니다. 다양한 분야에서 어마어마한 데이터를 만들고, 수집하고, 분석하는 빅 데이터 기술은 모든 것을 더욱 정확하게 예측하고 효율적으로 작동하게 합니다. 또 개인에게 맞춤형 정보를 제공하여 새로운 가치를 창출해 냅니다.

13. 자동차 바퀴의 구동 방식 중학교 과학

① 전륜구동 : 엔진에서 나오는 힘(동력)으로 앞바퀴를 움직이고 뒷바퀴는 따라가는 방식입니다. 앞부분에 무게가 실려 방향 전환에 유리합니다.

② 후륜구동 : 구동축을 통해 엔진의 힘을 뒷바퀴에 전달하는 방식입니다. 무게가 앞뒤로 적당히 분산되어 승차감이 좋습니다.

③ 사륜구동 : 엔진의 힘을 모든 바퀴에 전달하는 방식입니다. 앞뒤 바퀴가 모두 움직이기 때문에 비포장도로, 산길 등 험한 길을 달릴 때 유용합니다.

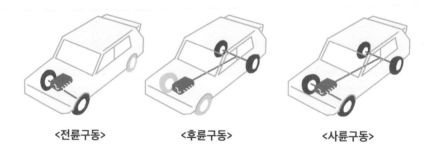

<전륜구동>   <후륜구동>   <사륜구동>

14. 구간 단속을 하는 이유 중학교 과학

구간 단속은 특정 구간의 평균속도를 측정해 과속을 적발하는 방식입니다. 한곳에만 과속 카메라를 설치할 경우, 운전자가 카메라 앞에서만 속력을 줄이는 경우가 생길 수 있습니다. 그러나 일정한 구간을 두고 과속 카메라를 설치하면,

그 구간에서의 평균속력이 최고 속력을 넘지 않아야 하기 때문에 안전 운전을
할 수 있습니다.

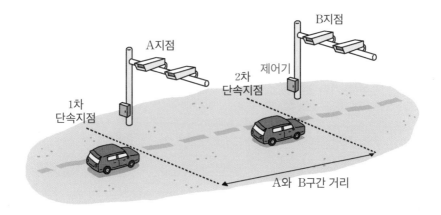

15. 전체 경기 수를 구하는 방법 중학교 수학

① 토너먼트 : 전체 참가 팀이 추첨을 통해서 두 팀씩 짝을 지어 경기하고, 이긴
   팀이 또 다른 이긴 팀과 경기를 해서 최종 우승자를 결정하는 방식입니다.

   (전체 경기 수)＝(전체 팀의 수)－1

② 리그전 : 각 팀이 서로 한 번 이상씩 경기를 하는 방식입니다. 여러 번의 경기
   를 통해 이긴 횟수가 가장 많은 팀이 우승을 차지하게 됩니다.

   (전체 경기 수)＝{(전체 팀의 수)×(전체 팀의 수－1)}÷2

1. 미로가 말한 증기자동차에 대해 이야기해 보세요.

....

....

....

2. 루이는 손으로 수증기가 피어오르는 시늉을 했습니다. 수증기가 무엇인지 말해 보세요.

....

....

....

3. 공기를 넣은 풍선을 놓았을 때 생기는 뉴턴의 제3법칙에 대하여 설명해 보세요.

....

....

....

4. 투니는 스스로 부피가 커서 모두 함께 탈 수 있다고 자신했습니다. 부피가 무엇인지 생각하면서 직육면체의 부피를 설명해 보세요.

5. 연료 자판기에 있는 각 연료별 특징을 이야기해 보세요.

6. 길을 찾는 아이템 자판기에서 지도는 메르카토르 도법으로 그려졌다고 했습니다. 메르카토르 도법에 대해 이야기해 보세요.

7. 지구본이 아이들에게 말해 준 대권항로에 대해 설명해 보세요.

8. 투니가 사막에 적합하다고 한 연료전지를 설명해 보세요.

9. 미로가 설명한 세 변의 길이가 정해진 삼각형을 그리는 방법을 말해 보세요.

10. 투니는 모래 폭풍에 대비하여 사륜구동 모드를 작동시켰습니다. 자동차 바퀴의 구동 방식에 대해 이야기해 보세요.

1. 1부터 5까지 숫자가 적힌 5장의 카드가 있습니다. 이 중에서 2장을 뽑아 만들 수 있는 두 자리 자연수는 모두 몇 개인지 생각해 보세요.

2. 남학생 5명과 여학생 4명 중에서 대표 2명을 뽑는 경우의 수를 구해 보세요.

3. 6개의 농구팀이 서로 한 번씩 경기하는 경우의 수를 생각해 보세요.

4. 다음 그림과 같이 원 위에 7개의 점이 있습니다. 이 중에서 두 점을 연결하여 만들 수 있는 직선의 개수를 구해 보세요.

5. 구간 단속을 하는 이유를 생각해 보세요.

정답 및 풀이

이야기를 떠올리며 물음에 답하기

1.
동물의 힘이 아닌 증기기관으로 움직이는 자동차는 1769년 프랑스의 발명가 니콜라 조제프 퀴뇨가 포차를 끌기 위해 처음 만들었습니다. 19세기 중엽 영국이나 유럽 등의 여러 나라에서는 대형 증기자동차를 이용하여 장거리 대량 수송이 이루어졌습니다. 그 뒤 소형 개인용 증기자동차도 만들어졌으나, 19세기 말 가솔린 자동차가 실용화되면서 점점 사라졌습니다.

2.
기체 상태의 물을 수증기라고 부릅니다. 수증기는 액체 상태의 물이 증발, 기화하거나 고체 상태의 얼음이 승화하면서 만들어집니다. 다른 상태의 물과 달리 수증기는 눈에 보이지 않습니다.

3.
공기를 넣은 풍선을 놓으면, 공기가 뒤로 빠지면서 풍선이 앞으로 나아갑니다. 이처럼 모든 작용에는 크기는 같고 방향이 반대인 반작용이 존재합니다. 우리가 걸을 때 다리는 땅을 밀고, 이 반작용으로 땅도 다리를 밀어 냅니다. 이 때문에 사람과 땅 양쪽에 크기가 같고 방향이 반대인 힘이 작용하게 됩니다.

4.
부피란 공간에서 한 물체가 차지하는 크기를 말합니다. 직육면체의 부피는 밑면의 넓이와 높이의 곱으로 구할 수 있습니다.

5.

휘발유	장점	• 전기나 수소와 달리 쉽게 구할 수 있습니다.
	단점	• 휘발유를 태울 때 공기를 오염시키는 배기가스가 나옵니다. • 무거운 엔진 때문에 연료 효율이 떨어집니다.
전기	장점	• 배기가스가 없어 친환경적입니다. • 가벼운 모터 덕에 효율적입니다.
	단점	• 충전에 오랜 시간이 걸리며, 한 번의 충전으로 먼 거리를 달리지는 못합니다.
수소	장점	• 같은 양으로 휘발유 연료에 비해 더 먼 거리를 달릴 수 있습니다. • 전기 연료에 비해 연료를 보충하는 시간이 짧습니다.
	단점	• 수소를 연료로 사용할 때 필요한 연료전지가 비쌉니다.

6.

지도를 그리는 방법 중 하나로, 지구를 원통에 넣고 중심에서 불을 비췄을 때 원통에 비치는 그림자를 그대로 그리는 원통 도법을 이용합니다. 그림자를 그린 후에는 남극이나 북극의 왜곡된 부분을 보정해서 지도로 표현합니다.

7.

지구의 중심을 통하는 원의 호를 대권이라고 합니다. 지표면 위에 있는 두 지점 사이의 최단 경로는 대권을 따라 존재합니다. 즉, 지구에서 두 지점을 가장 짧게 연결하는 길이 대권항로이며, 북극권을 중심으로 많이 개발되었습니다.

8.

연료전지는 연료와 산화제를 전기화학적으로 반응시켜 전기에너지를 발생시키는 장치입니다. 보통의 전지는 전지 내에 미리 채워 놓은 화학물질에서 나오는 화학에너지를 전기 에너지로 전환하지만, 연료전지는 지속적으로 연료와 산소의 공급을 받아서 화학반응을 통해 지속적으로 전기를 공급합니다.

9.

① 먼저 한 변을 긋습니다.

② 컴퍼스를 다른 한 변의 길이만큼 벌린 다음, 먼저 그은 변의 한 꼭짓점을 중심으로 선을

긋습니다.

③ 컴퍼스를 나머지 한 변의 길이만큼 벌린 다음, 먼저 그은 변의 다른 쪽 꼭짓점을 중심으로 선을 긋습니다.

④ 컴퍼스로 그은 두 선이 만난 지점을 꼭짓점으로 하여 두 선분을 긋습니다.

10.

① 전륜구동 : 엔진에서 나오는 힘(동력)으로 앞바퀴를 움직이고 뒷바퀴는 따라가는 방식입니다. 앞부분에 무게가 실려 방향 전환에 유리합니다.

② 후륜구동 : 구동축을 통해 엔진의 힘을 뒷바퀴에 전달하는 방식입니다. 무게가 앞뒤로 적당히 분산되어 승차감이 좋습니다.

③ 사륜구동 : 엔진의 힘을 모든 바퀴에 전달하는 방식입니다. 앞뒤 바퀴가 모두 움직이기 때문에 비포장도로, 산길 등 험한 길을 달릴 때 유용합니다.

더 깊게 알아보기

1. 20개

5장의 숫자 카드 중에서 첫 번째로 1장을 뽑을 경우의 수는 5가지입니다. 그리고 남은 카드에서 두 번째 숫자를 뽑는 경우의 수는 4가지입니다. 따라서 5장의 카드 중 2장을 뽑아 만들 수 있는 두 자리 자연수는 $5 \times 4 = 20$개입니다.

2. 36가지

총 9명의 학생 중에서 대표 2명을 뽑는 경우의 수는 $9 \times 8 = 72$입니다. 그런데 대표 2명은 먼저 뽑히는 순서와 상관없이 같은 자격을 갖습니다. 따라서 남학생 5명과 여학생 4명 중에서 대표 2명을 뽑는 경우의 수는 $\frac{9 \times 8}{2 \times 1} = 36$가지입니다.

3. 15가지

6개의 농구팀이 경기하는 경우의 수는 $6 \times 5 = 30$입니다. 그런데 두 팀이 한 경기를 하게 되므로, A와 B팀의 경기와 B팀과 A팀의 경기는 한 경기나 마찬가지입니다. 따라서 6개의 농구팀이 서로 한 번씩 경기하는 경우의 수는 $\dfrac{6 \times 5}{2 \times 1} = 15$가지입니다.

4. 21개

7개의 점 중에서 2개의 점을 연결하는 경우의 수는 $7 \times 6 = 42$입니다. 그런데 직선이 시작하는 점과 끝나는 점은 순서를 바꾸어도 같은 직선입니다. 따라서 두 점을 연결하여 만들 수 있는 직선의 개수는 $\dfrac{7 \times 6}{2 \times 1} = 21$개입니다.

5.

한 곳에만 과속 카메라를 설치할 경우 운전자가 카메라 앞에서만 속력을 줄이는 경우가 생길 수 있습니다. 그런데 일정한 구간을 두고 과속 카메라를 설치하면 그 구간에서의 평균속력이 최고 속력을 넘지 않아야 하기 때문에 안전 운전을 할 수 있습니다.

각도와 비례를 알면 나도 마술사

황덕창 글 · 유영근 그림

분야	어린이 / 초등 학습 / 수학 / 과학
키워드	#STEAM #각도 #비와 비례 #물질의 변화 #빛과 렌즈

세리는 기대하던 마술 쇼를 보러 갔다가 화장실에서 우연히 마술사 마지선을 만난다. 마지선은 신기한 마술 하나를 보여 주고, 마술사가 되고 싶은 세리는 무게중심과 비례를 이용해 비밀을 풀어낸다. 세리는 자신의 공연을 도와달라는 마지선과 함께 마술을 배우면서 온도에 따른 물질의 변화와 각도, 비례의 원리를 깨우치고, 전자석의 원리, 중력, 용액의 성질, 빛과 렌즈, 습도 등에 대해 배운다. 과연 세리는 마술 쇼를 성공적으로 끝낼 수 있을까?

교과 연계

	1학년	2학년	3학년	4학년	5학년	6학년	중학교
수학				★		★	★
과학				★	★	★	★

단원 안내

[초등수학 4-2] 3. 소수의 덧셈과 뺄셈

[초등수학 6-2] 4. 비례식과 비례배분

[초등과학 4-2] 2. 물의 상태변화

[초등과학 5-1] 2. 온도와 열

[초등과학 6-1] 5. 빛과 렌즈

[초등과학 6-2] 3. 연소와 소화

1. 드라이아이스 `초등과학 5-1`

이산화탄소를 냉각시킨 고체 이산화탄소를 드라이아이스라고 부릅니다. 드라이아이스는 공기 중에 두면 액체가 되지 않고 기체로 변합니다. 온도가 매우 낮기 때문에 냉동식품을 보관할 때 사용합니다. 또 고체에서 기체로 변하는 성질 때문에 영화, 연극, 마술 등에서 안개와 같은 효과를 낼 때에도 사용합니다.

2. 승화 `초등과학 4-2`

승화는 고체가 곧바로 기체로 직접 변화하는 현상을 말합니다. 고체와 기체의 중간 과정으로 보통 액체가 존재하기 때문에 승화 과정은 제한된 온도와 압력 조건에서 발생하는데, 주로 저온 저압에서 일어납니다.

3. 비례배분 `초등수학 6-2`

전체를 주어진 비로 배분하는 것을 비례배분이라고 합니다. 비례배분을 할 때에는 주어진 비의 전항과 후항의 합을 분모로 하는 분수의 비로 고쳐서 계산하면 편리합니다.

4. 환율 `중학교 수학`

환율은 서로 다른 나라의 돈을 맞바꿀 때의 비율입니다. 예를 들어, 미국 돈 1달러를 한국 돈으로 바꾸면 얼마인지 나타내는 것은 '원달러 환율'이라고 합니다.

　시장에서 물건을 사고팔 듯 여러 나라의 돈도 '외환시장'에서 사고팔 수 있습니다. 물건을 사려는 사람이 많으면 값이 오르는 것처럼 외국에서 사려는 사람이 많은 돈은 값이 오르고, 반대로 사려는 사람이 적은 돈은 값이 떨어집니다. 그래서 환율은 하루에도 수십 번씩 바뀝니다.

5. 습도　초등과학 5-1

공기 중에 있는 수증기의 양을 습도라고 합니다. 수증기의 양이 많으면 '습도가 높다', 수증기의 양이 적으면 '습도가 낮다'라고 표현합니다. 습도는 우리 생활에 많은 영향을 줍니다. 습도가 높으면 빨래가 잘 마르지 않고, 집 안에 곰팡이가 생길 수 있습니다. 반면에, 습도가 낮으면 건조해서 눈이나 목이 따끔거리기도 합니다.

6. 입사각과 반사각의 성질　초등과학 6-1

빛이 거울로 들어갈 때의 각도는 입사각, 빛이 거울에 반사되어 나올 때의 각도는 반사각이라고 부릅니다. 거울에 수직으로 선을 그으면, 입사각과 반사각은 그 선을 기준으로 대칭입니다. 그래서 거울을 보면 물체가 실제와 똑같은 높이에 있는 것처럼 보입니다.

7. 어는점 내림　초등과학 4-2

용질이 녹아 있는 용액이 순수 용액일 때보다 어는점이 낮아지는 현상입니다. 염분이 녹아 있는 바닷물은 잘 얼지 않는데, 이는 어는점 내림 현상 때문입니다.

8. 과냉각 초등과학 4-2

액체의 온도를 아주 빠르게 낮추면 온도가 어는점 밑으로 내려가도 얼지 않고 액체 상태를 그대로 유지하는 현상을 과냉각이라고 합니다. 물질에는 각각 온도에 따른 안정 상태가 있어서 온도를 서서히 변화시키면 물질의 구성 원자가 안정 상태를 유지하면서 온도 변화를 따라갈 수 있습니다. 그러나 온도가 갑자기 변하면 그 온도에 맞는 안정 상태로 변화할 만한 여유가 없습니다. 때문에 물질이 출발점 온도에서의 안정 상태를 그대로 지니거나 물질의 일부분이 종점 온도에서의 상태로 변화하다가 그치는 현상이 일어납니다.

9. 순환소수 중학교 수학

같은 숫자의 배열이 계속 되풀이되는 소수를 순환소수라고 말합니다. 예를 들어, 1을 3으로 나누면 '0.3333…'으로 소수점 뒤로 3이 끝없이 이어지면서 나누어떨어지지 않습니다. 또 1을 7로 나누어 보면, '0.142857142857…'으로 소수점 뒤로 142857이 계속 되풀이됩니다. 이처럼 끝없이 계속되는 순환소수는 $\frac{1}{3}$, $\frac{1}{7}$과 같이 분수로 나타낼 수 있습니다.

10. 소수와 분수의 계산 초등수학 4-2

소수와 분수의 혼합 계산을 할 때에는 분수를 소수로, 또는 소수를 분수로 고친 다음 자연수의 혼합 계산 순서와 같은 방법으로 계산합니다.

11. 자석 초등과학 6-1

자석은 쇳조각을 끌어당기거나 전류에 작용을 미치는 성질인 자성을 갖습니다. 또 자석이 물질을 끌어당기는 현상을 자기라고 합니다.

12. 전압과 전류의 관계 `중학교 과학`

꼬마전구, 전선, 건전지, 전압계를 통해 전기회로를 만든 다음 직렬연결일 때와 병렬연결일 때의 전압 세기를 비교하여 전압과 전류의 관계를 알아볼 수 있습니다. 병렬로 전기회로를 연결했을 때는 직렬로 연결했을 때보다 세기 변화가 별로 없습니다. 어떤 방식으로 전기회로를 만드는지에 따라 도선에 흐르는 전류의 세기가 달라지기 때문입니다. 이러한 성질을 이용하여 생활 속에서도 필요에 따라 병렬연결과 직렬연결이 사용됩니다.

13. 반비례 `중학교 수학`

넓이가 32인 직사각형을 만들 때, 가로의 길이가 1이면 세로의 길이는 32가 됩니다. 그리고 가로의 길이를 2배로 하면 세로의 길이는 $\frac{1}{2}$배가 되어 가로 2, 세로 16인 직사각형이 만들어집니다. 또 가로의 길이를 4배로 하면 세로의 길이는 $\frac{1}{4}$배가 되고, 가로의 길이를 8배로 하면 세로의 길이는 $\frac{1}{8}$배가 됩니다. 이와 같이 어떤 한쪽의 양이 2배, 4배, …, n배가 될 때, 다른 쪽의 양은 $\frac{1}{2}$배, $\frac{1}{4}$배, …, $\frac{1}{n}$배가 되는 관계에 있는 두 양을 서로 반비례한다고 말합니다.

14. 발화점 `초등과학 6-2`

발화점은 물질이 연소하기 시작할 때의 온도를 말합니다. 즉, 물질을 마찰시키거나 가열할 때 불이 붙어 타기 시작하는 최저 온도입니다. 따라서 물질이 연소하려면 발화점에 도달할 때까지 가열하거나 주변의 온도를 높여 주어야 합니다.

15. 나트륨 `초등과학 6-2`

1807년 영국의 화학자 험프리 데이비가 녹은 수산화나트륨(NaOH)에 전류를 흘려 처음으로 나트륨(Na)을 발견했습니다. 소듐이라고도 하는 나트륨은 한때 유리를 만드는 데 사용했던 퉁퉁마디의 로마 이름을 따서 소다늄이라고 부른 것에서 유래했습니다. 퉁퉁마디는 소금을 좋아하는 호염성 식물로, 재에는 유리 제조의 주성분으로 사용되는 탄산나트륨 또는 소다석회가 포함되어 있습니다.

1. 마지선은 드라이아이스 연기에 휩싸인 채 등장했습니다. 드라이아이스가 무엇인지 이야기해 보세요.

....

....

....

2. 세리가 마지선이 보여 준 동전 마술의 비밀을 풀 수 있었던 원리는 무게중심과 비례배분이었습니다. 비례배분에 대해 설명해 보세요.

....

....

....

3. 지금 우리를 둘러싸고 있는 공기 속에도 물이 들어 있습니다. 공기 중에 있는 수증기의 양을 말하는 습도를 설명해 보세요.

....

....

4. 마지선이 설명했던 입사각과 반사각의 성질을 말해 보세요.

5. 물에 다른 물질을 녹인 용액의 어는점이 아무것도 섞이지 않은 물의 어는점보다 낮은 현상에 대해 이야기해 보세요.

6. 마지선이 세리에게 만들어 준 콜라 슬러시를 떠올리면서 과냉각에 대해 설명해 보세요.

7. 같은 숫자의 배열이 계속해서 되풀이되는 소수에 대해 이야기해 보세요.

8. 같은 극끼리는 밀어 내고 다른 극끼리는 끌어당기면서 쇳조각을 끌어당기는 물질을 설명해 보세요.

....

....

....

9. 마지선은 전기의 힘을 좌우하는 것이 무엇이라고 했는지 이야기해 보세요.

....

....

....

10. 자석의 힘은 물체까지의 거리의 제곱에 반비례합니다. 반비례에 대해 예를 들어 설명해 보세요.

....

....

....

1. 다음 평면 도형에서 점 A와 변 BC 사이의 거리를 구해 보세요.

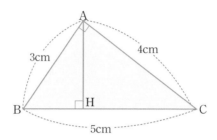

2. 점 P에서 직선 l에 내린 수선의 발은 어느 것인지 찾아보세요.

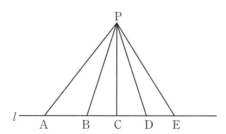

3. 다음 그림에서 x의 값을 구해 보세요.

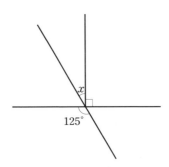

4. 다음 중에서 x와 y가 정비례 관계인 것을 모두 찾아보세요.

① $y=x+1$ ② $xy=6$ ③ $x-3y=0$ ④ $y=-\dfrac{x}{5}$ ⑤ $y=-\dfrac{2}{x}$

5. 다음 중에서 x와 y가 반비례 관계인 것을 모두 찾아보세요.

① $y=\dfrac{x}{4}$ ② $y=\dfrac{5}{x}$ ③ $\dfrac{y}{x}=3$ ④ $y+2x=0$ ⑤ $xy=6$

이야기를 떠올리며 물음에 답하기

1.
이산화탄소를 냉각시킨 고체 이산화탄소를 드라이아이스라고 부릅니다. 드라이아이스는 공기 중에 두면 액체가 되지 않고 기체로 변합니다. 온도가 매우 낮기 때문에 냉동식품을 보관할 때 사용합니다. 또 고체에서 기체로 변하는 성질 때문에 영화, 연극, 마술 등에서 안개와 같은 효과를 낼 때에도 사용합니다.

2.
전체를 주어진 비로 나누는 것을 비례배분이라고 합니다. 비례배분을 할 때에는 주어진 비의 전항과 후항의 합을 분모로 하는 분수의 비로 고쳐서 계산하면 편리합니다.

3.
공기 중에 있는 수증기의 양이 많으면 '습도가 높다', 수증기의 양이 적으면 '습도가 낮다'라고 표현합니다. 습도는 우리 생활에 많은 영향을 줍니다. 습도가 높으면 빨래가 잘 마르지 않고, 집 안에 곰팡이가 생길 수 있습니다. 반면에 습도가 낮으면 건조해서 눈이나 목이 따끔거리기도 합니다.

4.
빛이 거울로 들어갈 때의 각도는 입사각, 빛이 거울에 반사되어 나올 때의 각도는 반사각이라고 부릅니다. 거울에 수직으로 선을 그으면, 입사각과 반사각은 그 선을 기준으로 대칭입니다. 그래서 거울을 보면 물체가 실제와 똑같은 높이에 있는 것처럼 보입니다.

5.

용질이 녹아 있는 용액이 순수 용액일 때보다 어는점이 낮아지는 것은 어는점 내림 현상입니다. 염분이 녹아 있는 바닷물은 잘 얼지 않는 것 역시 어는점 내림 현상 때문입니다.

6.

액체의 온도를 아주 빠르게 낮추면 온도가 어는점 밑으로 내려가도 얼지 않고 액체 상태를 그대로 유지하는 현상을 과냉각이라고 합니다. 물질에는 각각 온도에 따른 안정 상태가 있어서 온도를 서서히 변화시키면 물질의 구성 원자가 안정 상태를 유지하면서 온도 변화를 따라갈 수 있습니다. 그러나 온도가 갑자기 변하면 그 온도에 맞는 안정 상태로 변화할 만한 여유가 없습니다. 때문에 물질이 출발점 온도에서의 안정 상태를 그대로 지니거나 물질의 일부분이 종점 온도에서의 상태로 변화하다가 그치는 현상이 일어납니다.

7.

같은 숫자의 배열이 계속 되풀이되는 소수를 순환 소수라고 말합니다. 예를 들어, 1을 3으로 나누면 '0.3333⋯'으로 소수점 뒤로 3이 끝없이 이어지면서 나누어떨어지지 않습니다. 또, 1을 7로 나누어 보면, '0.142857142857⋯'으로 소수점 뒤로 142857이 계속 되풀이됩니다. 이처럼 끝없이 계속되는 순환소수는 $\frac{1}{3}$, $\frac{1}{7}$과 같이 분수로 나타낼 수 있습니다.

8.

자석은 같은 극끼리는 밀어 내고 다른 극끼리는 끌어당기면서 쇳조각을 끌어당기는 물질입니다. 이처럼 자석은 쇳조각을 끌어당기거나 전류에 작용을 미치는 성질인 자성을 갖습니다. 또 자석이 물질을 끌어당기는 현상을 자기라고 합니다.

9.

마지선은 전기의 힘을 좌우하는 것은 크게 전압과 전류라고 했습니다. 이 전압과 전류의 관계는 꼬마전구, 전선, 건전지, 전압계를 통해 전기회로를 만든 다음 직렬연결일 때와 병렬연결일 때의 전압 세기를 비교하여 알아볼 수 있습니다. 병렬로 전기회로를 연결했을 때는 직렬로 연결했을 때보다 세기 변화가 별로 없습니다. 어떤 방식으로 전기회로를 만드는지에 따라 도선에 흐르는 전류의 세기가 달라지기 때문입니다. 이러한 성질을 이용하여 생활 속에서도 필요에 따라 병렬연결과 직렬연결이 사용됩니다.

10.

넓이가 32인 직사각형을 만들 때, 가로의 길이가 1이면 세로의 길이는 32가 됩니다. 그리고 가로의 길이를 2배로 하면 세로의 길이는 $\frac{1}{2}$배가 되어 가로 2, 세로 16인 직사각형이 만들어집니다. 또 가로의 길이를 4배로 하면 세로의 길이는 $\frac{1}{4}$배가 되고, 가로의 길이를 8배로 하면 세로의 길이는 $\frac{1}{8}$배가 됩니다. 이와 같이 어떤 한쪽의 양이 2배, 4배, $\cdots$, n배가 될 때, 다른 쪽의 양은 $\frac{1}{2}$배, $\frac{1}{4}$배, $\cdots$, $\frac{1}{n}$배가 되는 관계에 있는 두 양을 서로 반비례한다고 말합니다.

더 깊게 알아보기

1. 2.4cm

선분 AH는 점 A에서 변 BC에 내린 수선이므로 삼각형 ABH는 직각삼각형입니다. 또 삼각형 ABH와 삼각형 CBA는 닮음입니다. 따라서 삼각형 ABH와 삼각형 CBA의 대응변의 길이의 비는 같다는 성질을 이용하여 점 A와 변 BC 사이의 거리를 구할 수 있습니다. 선분 AH의 길이를 x라고 하면, $3 : x = 5 : 4$라는 비례식을 만들 수 있습니다. 비례식에서 외항의 곱과 내항의 곱이 같으므로 $5x = 12$라는 방정식을 세울 수 있습니다. 따라서 $x = 2.4$cm입니다.

2. 점 C

수선의 발은 어떤 일정한 직선이나 평면과 직각을 이루는 직선을 의미합니다. 따라서 점 P에서 직선 l에 내린 수선의 발은 점 P와 직선 l을 직각으로 만나게 하는 점 C입니다.

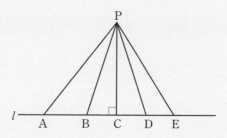

3. 35°

맞꼭지각의 크기는 서로 같은 성질을 이용하여 x의 크기를 구할 수 있습니다.

$x+90°=125°$이므로, $x=35°$입니다.

4. ③, ④

두 변수 x, y에서 x가 2배, 3배, 4배, …가 되면 y도 2배, 3배, 4배, …가 되는 관계를 정비례라고 합니다. 따라서 y가 x에 정비례하는 것은 ③ $x-3y=0$와 ④ $y=-\dfrac{x}{5}$입니다. $x-3y=0$은 $y=\dfrac{1}{3}x$와 같습니다.

5. ②, ⑤

반비례한다는 것은 역수로 비례한다는 의미입니다. 따라서 y가 x에 반비례하는 것은 ② $y=\dfrac{5}{x}$와 ⑤ $xy=6$입니다. $xy=6$은 $y=\dfrac{6}{x}$과 같습니다.

미라의 저주를 푸는 인체의 비밀

강호진 글 · 오성봉 그림

분야	어린이 / 초등 학습 / 수학 / 과학
키워드	#STEAM #인체 #몸의 구조와 기능 #단위 #측정

손꼽아 기다리던 현장체험학습이 미라가 발견되는 바람에 무기한 연기되고 말았다. 모미와 채인이는 직접 미라를 조사하려고 의과대학에 다니는 삼촌을 설득해 임강한옥마을로 떠난다. 그리고 그곳에서 미라를 가만히 내버려 두지 않으면 큰일을 치를 것이라는 무서운 저주에 맞닥뜨린다. 모미 일행은 미라의 정체를 밝히기 위해 하나둘 단서를 모으면서 인체의 구조와 기능 그리고 여러 가지 단위에 대해 깨우치고, 그들을 방해하는 누군가가 있다는 것도 알게 된다. 모미와 채인이는 과연 미라의 저주에서 벗어나 무사히 학교 친구들과 함께 현장체험학습을 할 수 있을까?

교과 연계

	1학년	2학년	3학년	4학년	5학년	6학년	중학교
수학		★	★			★	★
과학						★	★

단원 안내

[초등수학 2-2] 3. 길이 재기

[초등수학 3-2] 5. 들이와 무게

[초등수학 6-2] 5. 원의 넓이

[초등과학 6-2] 4. 우리 몸의 구조와 기능

1. 땀이 나는 이유 중학교 과학

땀은 우리 몸의 노폐물 배출과 체온 유지, 긴장 완화 등의 중요한 기능을 하며, 날씨 변화나 심리적 변화가 심할 때 생깁니다.

2. 속력 중학교 수학

속력은 물체의 빠르기를 말합니다. 짧은 시간 동안 먼 거리를 움직였다면 속력이 빠르다고 할 수 있습니다. 반대로 긴 시간 동안 가까운 곳밖에 가지 못했다면 속력이 느리다고 할 수 있습니다.

3. 신경 초등과학 6-2

우리 몸을 연결하여 하나의 유기체로서 신체 활동의 조절과 조정을 담당하는 신경조직을 신경이라고 합니다. 신경은 우리 몸을 움직일 수 있게 도와줍니다.

4. 소화 초등과학 6-2

소화는 우리 몸에서 음식물 속의 영양분을 흡수하기 쉬운 형태로 분해하는 일을 말합니다. 소화는 음식을 입에 넣는 순간부터 시작됩니다. 음식을 입에 넣으면 이로 씹는 운동을 합니다. 이때 단단한 이가 음식물을 자르거나 짓이겨 잘게 부숩니다. 음식물을 잘게 부수면 소화효소가 작용할 수 있는 면적이 그만큼 넓어지므로 분해 속도도 빨라집니다.

5. 멜라닌세포 초등과학 6-2

머리카락이 자라는 모낭에 있는 멜라닌세포에서는 흑갈색을 띤 멜라닌색소를 만듭니다. 멜라닌색소는 일정량 이상의 자외선을 흡수하는 방식으로 자외선의 침투를 차단하고, 체온을 유지해 주며, 그 양에 따라 머리카락색이나 피부색이 정해집니다. 그런데 나이가 들수록 멜라닌세포의 수도 줄고 기능도 떨어지기 때문에 점점 흰머리가 생깁니다.

6. 자기공명영상 장치 중학교 과학

강한 자기장을 이용해 몸속을 들여다볼 수 있는 장비로, 주로 수분에 반응합니다. 종합병원에서 신체를 검사하는 도구로 많이 사용되고 있습니다.

7. 유전 중학교 과학

부모가 가진 특성이 자식에게 전달되는 현상을 말합니다. 모든 생물은 생식을 통해서 자손을 남기는데, 이 과정에서 부모가 가지고 있는 특성(머리카락색, 피부색, 얼굴 형태 등)이 자식에게 전달됩니다.

8. 3대 영양소 초등과학 6-2

생물체가 생명을 유지하는 데 필요한 물질을 합성하거나 에너지를 얻기 위해 그 원료가 되는 물질을 영양소라고 합니다. 생물은 영양소를 통해 몸을 구성하는 물질을 만들기도 하고, 에너지를 얻기도 하며, 생리 기능을 조절하기도 합니다.

영양소에는 탄수화물, 지방, 단백질, 무기염류, 비타민, 물 등이 있습니다. 이 중 가장 기본적이고 중요한 세 종류의 영양소를 묶어 3대 영양소라 부르며, 탄수화물, 지방, 단백질이 여기에 속합니다.

9. 위산 `초등과학 6-2`

위장의 소화액 속에 포함되어 있는 산으로, 주로 강산인 염산이며 기타 젖산이나 아세트산이 있습니다. 위산은 적정한 산도를 유지해 살균 작용을 하거나 음식물의 소화작용에 도움을 줍니다.

10. 망막 `초등과학 6-2`

안구의 가장 안쪽에 위치한 얇고 투명한 막을 망막이라고 합니다. 망막에는 빛에 의한 자극을 받아들이는 시세포가 넓게 퍼져 있습니다.

11. 뼈의 역할 `초등과학 6-2`

뼈는 우리 몸을 지탱하고 뇌, 심장, 폐 등의 몸속 기관을 보호하는 역할을 합니다. 뼈는 근육과 함께 운동기관에 속합니다.

12. 청각기관 `초등과학 6-2`

청각기관은 외부의 소리를 듣는 감각기관입니다. 외이, 내이, 중이, 신경으로 구성되어 있으며, 신체 외부의 공기압력 변화를 전기적 신호로 바꾸는 역할을 합니다.

13. 원주율 `초등수학 6-2`

원의 크기와 상관없이 원의 둘레와 지름의 비는 일정합니다. 이 비를 원주율이라 하고, 기호로는 π(파이)를 씁니다. 원주율은 3.14159265…와 같이 계속해서 나아가는 무리수입니다. 끊임없이 이어지는 소수이기 때문에 계산을 할 때에는 근삿값인 3.14를 주로 사용합니다.

14. 백혈구 중학교 과학

백혈구는 질병과 외부 물질로부터 신체를 보호하는 면역계 세포입니다. 적혈구와 혈소판과 달리 모든 백혈구는 핵을 가지고 있으며, 혈액과 림프계를 포함한 신체 전반에 걸쳐 존재합니다. 혈액 샘플을 원심 분리하면 적혈구층과 혈장층 사이에 핵을 가진 세포들이 흰색 연막을 형성하게 되는데, 이로부터 백혈구라는 이름이 유래되었습니다.

15. 배설기관 중학교 과학

몸속에서 생긴 노폐물을 오줌과 땀의 형태로 몸 밖으로 내보내는 기관을 말합니다. 우리 몸의 배설기관으로는 오줌을 만들어 내는 신장(콩팥)과 땀을 만들어 내는 땀샘이 있으며, 몸속 노폐물을 몸 밖으로 내보냄으로써 우리 몸이 항상 일정한 상태를 유지할 수 있도록 해 줍니다.

1. 모미는 왜 삼촌 앞에서 식은땀을 줄줄 흘렸는지 이야기해 보세요.

....

....

....

2. 채인이가 설명한 '시속 70km로 달린다'는 것이 무슨 뜻인지를 생각하며 속력에 대해 말해 보세요.

....

....

....

3. 모욱이 배에서 난 꼬르륵 소리를 떠올리면서 소화를 설명해 보세요.

....

....

....

4. 삼촌은 미라의 머리카락색을 보고 젊은 사람이라는 것을 알아냈습니다. 머리카락색과 관련이 있는 세포에 대하여 이야기해 보세요.

....

....

....

5. 초가집 벽에 걸린 액자 속 할머니는 손가락이 6개인 다지증을 가지고 있었습니다. 모미와 채인이가 다지증을 통해 배운 유전이 무엇인지 말해 보세요.

....

....

....

6. 할머니가 만들어 준 맛있는 반찬을 먹으면서 삼촌이 이야기해 준 3대 영양소를 설명해 보세요.

....

....

....

7. 할머니는 과자를 너무 많이 먹어 아픈 모욱이의 배를 만지며 소화와 관련된 노래를 불러 주었습니다. 할머니의 노래 속 '시큼한 물'이 무엇일지 이야기해 보세요.

....

....

8. 우리가 안경을 쓰는 이유는 망막에 문제가 있어서입니다. 망막에 대해 설명해 보세요.

9. 오징어와 문어는 뼈가 없어서 땅 위에서 일어설 수 없습니다. 뼈의 역할을 말해 보세요.

10. 골수에서 만드는 혈액세포 중 백혈구에 대해 이야기해 보세요.

1. 자율신경을 대표하는 2가지 신경에 대하여 알아보세요.

2. 집에서 공원까지 갈 때에는 시속 2km로, 다시 공원에서 집까지 올 때에는 시속 6km로 걸었습니다. 왕복하는 데 4시간이 걸렸다면, 집에서 공원까지의 거리는 얼마인지 생각해 보세요.

3. 다음 빈칸에 알맞은 말을 써 보세요.

정사각형의 한 변의 길이	정사각형의 넓이	넓이 읽기
1m	$1m^2$	일 제곱미터
(①)	1a	(③)
100m	(②)	일 헥타르
1000m	$1km^2$	일 제곱킬로미터

4. 둘레가 48cm인 정사각형의 넓이를 구해 보세요.

5. 다음 빈칸에 알맞은 수를 넣어 보세요.

(1) 4000kg = (   )t

(2) 8t = (   )kg

정답 및 풀이

이야기를 떠올리며 물음에 답하기 ░░

1.

모미는 거짓말이 들킬까 봐 긴장했기 때문에 식은땀이 났습니다. 땀이 나는 것을 발한이라고 하는데, 땀은 우리 몸의 노폐물 배출과 체온 유지, 긴장 완화 등의 중요한 기능을 하며 날씨 변화나 심리적 변화가 심할 때 생깁니다. 식은땀은 갑자기 놀라거나 공포감을 느끼는 등 긴장, 흥분, 스트레스와 같은 심리적인 요인으로 신경이 자극될 때 땀이 나는 정신성 발한입니다.

2.

속력은 물체의 빠르기를 말합니다. 짧은 시간 동안 먼 거리를 움직였다면 속력이 빠르다고 할 수 있습니다. 반대로 긴 시간 동안 가까운 곳밖에 가지 못했다면 속력이 느리다고 할 수 있습니다.

시속은 1시간당 이동한 거리로 나타낼 수 있으므로 시속 70km로 달린다는 것은 1시간에 70km의 거리를 움직인다는 의미입니다.

3.

배에서 나는 꼬르륵 소리는 위에 있던 공기가 작은창자로 밀려 내려갈 때 나는 소리입니다. 이와 마찬가지로 위는 음식물을 소화시켜서 작은창자로 보내는 역할을 합니다. 입으로 들어온 음식물을 씹는 작용을 통해 부수고 이동시키는 기계적 소화와 위액과 같은 소화효소를 사용해 음식물을 더 작게 분해하는 화학적 소화가 있습니다.

4.

머리카락이 자라는 모낭에 있는 멜라닌세포에서는 흑갈색을 띤 멜라닌색소를 만듭니다. 멜라닌색소는 일정량 이상의 자외선을 흡수하는 방식으로 자외선의 침투를 차단하고, 체온을 유지해 주며, 그 양에 따라 머리카락 색이나 피부색이 정해집니다. 그런데 나이가 들수록 멜라닌세포의 수도 줄고 기능도 떨어지기 때문에 점점 흰머리가 생깁니다.

5.
유전은 부모가 가진 특성이 자식에게 전달되는 현상을 말합니다. 모든 생물은 생식을 통해서 자손을 남기는데, 이 과정에서 부모가 가지고 있는 특성(머리카락색, 피부색, 얼굴 형태 등)이 자식에게 전달됩니다.

6.
생물체가 생명을 유지하는 데 필요한 물질을 합성하거나 에너지를 얻기 위해 그 원료가 되는 물질을 영양소라고 합니다. 생물은 영양소를 통해 몸을 구성하는 물질을 만들기도 하고, 에너지를 얻기도 하며, 생리 기능을 조절하기도 합니다.
   영양소에는 탄수화물, 지방, 단백질, 무기염류, 비타민, 물 등이 있습니다. 이 중 가장 기본적이고 중요한 세 종류의 영양소를 묶어 3대 영양소라 부르며, 탄수화물, 지방, 단백질이 속합니다.

7.
할머니의 노래 속에 니온 '시큼한 물'은 위산입니다. 위산은 위장의 소화액 속에 포함되어 있는 산으로, 주로 강산인 염산이며 기타 젖산이나 아세트산이 있습니다. 위산은 적정한 산도를 유지해 살균 작용을 하거나 음식물의 소화 작용에 도움을 줍니다.

8.
안구의 가장 안쪽에 위치한 얇고 투명한 막을 망막이라고 합니다. 망막에는 빛에 의한 자극을 받아들이는 시세포가 넓게 퍼져 있습니다.

9.
뼈는 우리 몸을 지탱하고 뇌, 심장, 폐 등의 몸속 기관을 보호하는 역할을 합니다. 뼈는 근육과 함께 운동기관에 속합니다.

10.

골수에서 만드는 혈액세포로는 적혈구, 백혈구, 혈소판이 있습니다. 그중 백혈구는 질병과 외부 물질로부터 신체를 보호하는 면역계 세포입니다. 적혈구와 혈소판과 달리 모든 백혈구 는 핵을 가지고 있으며, 혈액과 림프계를 포함한 신체 전반에 걸쳐 존재합니다. 혈액 샘플을 원심 분리하면 적혈구층과 혈장층 사이에 핵을 가진 세포들이 흰색 연막을 형성하게 되는데, 이로부터 백혈구라는 이름이 유래되었습니다.

더 깊게 알아보기

1.

자율신경은 대뇌의 영향을 직접적으로 받지 않으면서 우리 몸의 기능을 자율적으로 조절하 는 신경입니다. 따라서 신체가 위급한 상황에 처했을 때, 뇌를 거치지 않고 빠르게 반응할 수 있습니다.

　자율신경은 교감신경과 부교감신경으로 나눌 수 있습니다. 교감신경은 심한 운동을 하거 나 공포를 느낄 때와 같이 위급한 상황에 대비하고 반응하는 신경으로, 전신에 존재하고 심 장, 폐, 근육 등을 지배합니다. 부교감신경은 소화와 흡수를 하는 것과 같은 에너지를 절약하 고 저장하는 작용을 합니다. 교감신경과 부교감신경은 서로 도우며 우리 몸의 안정성을 유지 합니다.

2. **6km**

(시간)$=\dfrac{(거리)}{(속력)}$입니다. 집에서 공원까지의 거리를 x라고 하면, $\dfrac{x}{2}+\dfrac{x}{6}=4$라는 방정식을 세울 수 있습니다. 분모들의 공배수인 6을 양변에 곱하면 $3x+x=24$이므로 집에서 공원까지의 거 리는 6km입니다.

3. ① **10m** ② **1ha** ③ 일 아르

4. **144cm²**

정사각형은 네 변의 길이가 모두 같은 사각형입니다. 따라서 둘레가 48cm인 정사각형의 한 변의 길이는 48÷4＝12cm입니다.

한 변의 길이가 12cm인 정사각형의 넓이는 $12 \times 12 = 144$cm²입니다.

5. **(1) 4   (2) 8000**

1t은 1000kg과 같습니다. 따라서 4000kg은 4t, 8t은 8000kg으로 나타낼 수 있습니다.

비례로 바람 왕국의
다섯 열쇠를 찾아라!

황덕창 글 · 최희옥 그림

분야	어린이 / 초등 학습 / 수학 / 과학
키워드	#STEAM #날씨 #비율과 비례 #다양한 생물

방학을 맞아 산골에 있는 할머니 댁으로 놀러 간 장풍이. 옆집에 사는 하늬와 오랜만에 인사를 나누던 중 갑자기 폭풍우가 몰아쳤다. 사나운 폭풍우가 그치고 주위를 둘러보다가 만난 사이클론 왕자는 말썽을 피워 바람 왕국에서 쫓겨났다며, 다섯 열쇠를 찾아야 다시 돌아갈 수 있다고 한다.

장풍이와 하늬는 사이클론 왕자를 돕기 위해 바람의 숲으로 간다. 그리고 다섯 열쇠를 찾는 과정에서 다양한 문제를 마주한 그들은 분수로 나무 높이를 구하고, 비례배분으로 신비한 빵을 구우며, 소금으로 인공강우를 만들어서 차근차근 문제를 해결하는데…….

교과 연계

	1학년	2학년	3학년	4학년	5학년	6학년	중학교
수학						★	★
과학				★	★	★	★

단원 안내

[초등수학 6-1] 4. 비와 비율

[초등과학 4-2] 1. 식물의 생활

[초등과학 5-2] 3. 날씨와 우리 생활

[초등과학 6-2] 2. 계절의 변화

개념 쏙쏙! 읽으면서 익히자

1. 연비 중학교 과학

연비는 자동차의 연료 효율이 얼마나 좋은지를 나타내는 수치입니다. 우리나라에서는 연료 1L로 몇 km를 갈 수 있는지를 말하는 km/L를 연비 단위로 사용하고 있습니다. 이 수치가 높을수록 연료 1L로 더 많은 거리를 갈 수 있으므로 연료 효율이 좋다는 뜻입니다.

2. 끓는점과 압력 중학교 과학

끓는점은 압력과 아주 가까운 관계를 가지고 있습니다. 압력이 높아지면 끓는점도 올라가고, 반대로 압력이 낮아지면 끓는점도 내려갑니다.

가마솥은 증기가 쉽게 빠져나가지 못해 내부 압력이 높아져서 물의 끓는점이 올라가기 때문에 더 높은 온도로 음식을 익히게 됩니다. 반면에, 높은 산에서는 땅에서보다 기압이 낮기 때문에 100℃보다 낮은 온도에서 물이 끓기 시작하고, 이 때문에 음식이 잘 익지 않습니다.

3. 태풍, 사이클론, 허리케인 초등과학 6-2

태풍, 사이클론, 허리케인은 모두 바람의 최대 속도가 초속 17m를 넘는 열대성저기압을 뜻하는 말입니다. 북태평양 서남부에서 생겨난 것은 태풍, 인도양에서 생겨난 것은 사이클론, 대서양 서부나 북태평양 동부에서 생겨난 것은 허리케인이라고 부릅니다. 예전에는 오스트레일리아 북부에서 생겨나 오스트레일리아나 뉴질랜드 쪽으로 오는 열대성저기압을 '윌리윌리'라고 불렀지만 요즘은 사이클론이라고 부릅니다.

4. 보퍼트 풍력 계급 초등과학 5-2

보퍼트 풍력 계급은 바람의 세기를 등급으로 표현하는 방법입니다. 1805년에 영국 해군 제독이었던 프랜시스 보퍼트가 고안했습니다. 그 후 몇 차례 수정을 거쳐 지금도 널리 쓰이고 있습니다. '1계급 실바람'부터 '12계급 싹쓸바람'까지 단계별로 우리말 이름도 있습니다.

5. 식물도 동물도 아닌 버섯 초등과학 4-2

흔히 버섯을 식물로 생각하지만, 버섯은 사실 식물도 동물도 아닌 '균류'에 속합니다. 세균과는 또 다른 종으로 버섯, 곰팡이, 효모와 같은 생물들이 균류에 포함됩니다. 균류는 동물보다는 식물에 가까운 존재입니다. 그러나 엽록체를 가지고 스스로 영양분을 만들어 내는 능력이 있어야만 식물로 분류하기 때문에, 이런 능력이 없는 균류는 별도의 종으로 묶입니다.

6. 세제와 표면 장력 초등과학 3-2

비누, 샴푸, 주방세제의 주요 성분은 '계면활성제'입니다. 이 물질은 물과 기름 양쪽 모두와 잘 어울리는 성질이 있어 물과 기름을 잘 섞이게 할 수 있습니다. 그래서 물에 잘 녹지 않는 기름 성분의 때를 없앨 때에는 계면활성제가 꼭 필요합니다.

계면활성제는 표면장력을 약하게 만드는 효과도 있습니다. 물은 기름보다 표면장력이 훨씬 큰데, 계면활성제를 물에 녹이면 물의 표면장력을 낮춰서 물과 기름이 섞이기가 더욱 쉬워집니다.

7. 충매화와 풍매화 초등과학 4-2

식물이 꽃가루를 옮기는 방법은 크게 2가지가 있습니다. 대부분의 꽃은 곤충을 이용해 꽃가루를 나르는 충매화에 속합니다. 반면에, 벼, 보리와 같은 곡식이나 소나무, 잣나무, 느티나무 등은 바람을 이용해 꽃가루를 나르는 풍매화입니다. 이 때문에 봄철 꽃가루 알레르기를 일으키는 건 주로 풍매화입니다. 꽃가루가 바람을 타고 우연히 다른 나무의 암술에 묻어야 하기 때문에 충매화와는 비교도 안 될 정도로 많은 꽃가루를 만듭니다.

8. 벌의 춤 초등과학 5-1

벌은 서로 소통하기 위해서 '춤'을 사용합니다. 8자를 그리면서 꼬리를 흔들면 꽃을 찾았다는 뜻입니다. 그런데 거리에 따라서 춤이 조금씩 다릅니다. 가까운 곳에 꽃이 있으면 원을 그리면서 춤을 추고, 꽃이 멀리 있을 때에는 8자를 그리면서 춤을 춥니다.

꽃이 있는 방향이나 벌에게 얼마나 가치가 있는 꽃인지에 따라서도 춤 동작이 조금씩 다릅니다. 최근 연구 결과에 따르면 소통을 위한 춤 동작의 종류가 무려 1500가지가 넘는다고 합니다.

9. 최대공약수와 최소공배수 중학교 수학

최대공약수는 두 수를 모두 나누어떨어지게 하는 공약수 중 가장 큰 수이고, 최소공배수는 두 수의 공배수 중 가장 작은 수입니다.

11. 파이어스틸 중학교 과학

파이어스틸은 불을 붙일 때 사용하는 금속 도구입니다. 보통 철, 세륨, 마그네슘 등을 섞어서 만들며, 쇠막대와 긁개가 한 쌍을 이루고 있습니다. 잘 타는 금속으로 이루어진 쇠막대를 긁개로 긁어 불꽃을 일으킵니다. 주성분인 세륨이 철보다 훨씬 낮은 온도에서 불붙기 때문에 전통적인 부싯돌보다 사용하기 쉽습니다.

12. 발효와 부패 중학교 과학

미생물은 영양분을 얻기 위해 무언가를 먹고, 이를 분해시켜 다른 물질을 내놓습니다. 이때 만들어진 물질이 우리에게 유익하면 발효, 해로우면 부패라고 합니다. 한식에 빠지지 않고 등장하는 김치나 후식으로 자주 먹는 요구르트 등은 발효가 만들어 낸 식품입니다. 반면 부패는 음식을 상하게 하고 독을 만들어 식중독을 유발합니다.

13. 흰 구름과 먹구름 중학교 과학

똑같이 물방울이나 얼음 알갱이로 이루어져 있는 구름이지만 그 색이 다르게 보이기도 합니다. 예를 들어, 뭉게구름 속의 물이나 얼음 알갱이는 어떤 빛이든 잘 산란시키기 때문에 구름이 하얗게 보입니다. 반면 먹구름은 햇빛이 구름 속의 물방울이나 얼음 알갱이와 부딪치면서 다른 곳으로 반사되고 적은 양만 땅으로 가기 때문에 거무스름하게 보입니다. 먹구름이 끼면 대낮에도 어두워지는 이유도 이 때문입니다.

14. 비행기 안의 공기 중학교 과학

비행기는 보통 땅 위로부터 9~12km 높이의 하늘을 납니다. 비행기의 바깥쪽은 영하 50℃에 이를 정도로 엄청나게 춥고, 공기 밀도는 땅 위의 $\frac{1}{4}$, 습도는 0.001% 밖에 안 됩니다. 따라서 비행기 안이 바깥 환경과 똑같다면 그 속에서 사람이 살아남을 수 없습니다. 그렇다고 비행기 안에 있는 공기만을 사용한다면 산소는 점점 줄어들고, 공기가 탁해지면서 세균과 바이러스가 늘어날 수 있습니다. 그래서 비행기에서는 '여압 장치'를 사용해서 바깥 공기를 받아들입니다. 제트 엔진이 뿜어내는 뜨거운 열로 온도가 200℃까지 올라간 바깥 공기는 세균과 바이러스가 모두 죽습니다. 그다음 적당한 압력과 온도로 조절되어 비행기 안으로 들여보내집니다.

15. 합동 중학교 수학

2개의 도형이 크기와 모양이 같아서 포개었을 때 꼭 맞는 것을 말합니다. 이때, 만나는 점을 대응점, 만나는 변을 대응변, 만나는 각을 대응각이라고 합니다. 합동인 도형에서 대응변의 길이는 서로 같고, 대응각의 크기도 서로 같습니다.

1. 장풍이네 가족은 시골 할머니 댁에 가는 도중에 자동차의 기름이 얼마 남지 않자 주유소까지 갈 수 있을지 없을지를 계산했습니다. 이때 나온 연비에 대해 이야기해 보세요.

....

....

....

2. 할머니가 해 주신 가마솥 밥을 떠올리면서 끓는점과 압력의 관계를 말해 보세요.

....

....

....

3. 사이클론 왕자는 바람 왕국의 왕이 허리케인이라고 했습니다. 태풍, 사이클론, 허리케인의 차이점을 설명해 보세요.

....

....

....

4. 아이들은 나무 밑에서 알록달록한 버섯을 발견했습니다. 사이클론 왕자는 버섯에 대해 어떻게 설명했는지 이야기해 보세요.

....

....

....

5. 소금쟁이가 물 위에 떠 있을 수 있는 이유는 표면장력 때문입니다. 표면장력을 활용한 세제에 대해 설명해 보세요.

....

....

....

6. 세 번째 열쇠를 얻기 위해서 아이들은 꽃이 열매를 맺도록 도왔습니다. 꽃가루를 옮기는 방법에 따라 꽃의 종류를 나누어 이야기해 보세요.

....

....

....

7. 꿀벌이 다른 꿀벌들에게 꽃이 있는 위치를 알려 주는 꿀벌 춤 소통에 대해 말해 보세요.

....

....

....

8. 빵 굽는 가마 기둥에 붙은 종이에 적힌 문제를 풀기 위해 하늬가 이용한 최대공약수와 최소공배수를 설명해 보세요.

....

....

....

9. 사이클론 왕자는 부싯돌을 이용하여 불을 피웠습니다. 현대식 부싯돌 파이어스틸에 대해 설명해 보세요.

....

....

....

10. 빵 반죽이 처음보다 부푼 이유는 발효 때문입니다. 발효와 부패에 대해 이야기해 보세요.

....

....

....

1. 다음과 같이 일정한 규칙으로 수를 늘어놓을 때, 빈칸에 들어갈 알맞은 수를 구해 보세요.

$$1.5, \ 2\frac{1}{3}, \ 3.25, \ 4.2, \ 5\frac{1}{6}, \ (\qquad)$$

2. $\dfrac{3}{7}$ 을 소수로 바꿀 때, 소수점 아래 100째 자리의 숫자를 구해 보세요.

3. 두 선분 ㉮와 ㉯가 있습니다. 선분 ㉯에 대한 선분 ㉮의 길이의 비의 값이 $\dfrac{2}{3}$ 일 때, 두 선분 길이의 비를 나타내 보세요.

4. 200까지의 자연수 중에서 4로 나누어도 3이 남고, 7고 나누어도 3이 남는 수 중 가장 큰 수를 생각해 보세요.

5. 비행기 안의 환경을 설명해 보세요.

정답 및 풀이

이야기를 떠올리며 물음에 답하기

1.

연비는 자동차의 연료 효율이 얼마나 좋은지를 나타내는 수치입니다. 우리나라에서는 연료 1L로 몇 km를 갈 수 있는지를 말하는 km/L를 연비 단위로 사용하고 있습니다. 이 수치가 높을수록 연료 1L로 더 많은 거리를 갈 수 있으므로 연료 효율이 좋다는 뜻입니다.

2.

끓는점은 압력과 아주 가까운 관계를 가지고 있습니다. 압력이 높아지면 끓는점도 올라가고, 반대로 압력이 낮아지면 끓는점도 내려갑니다.

　가마솥은 증기가 쉽게 빠져나가지 못해 내부 압력이 높아져서 물의 끓는점이 올라가기 때문에 더 높은 온도로 음식을 익히게 됩니다. 반면에, 높은 산에서는 땅에서보다 기압이 낮기 때문에 100℃보다 낮은 온도에서 물이 끓기 시작하고, 이 때문에 음식이 잘 익지 않습니다.

3.

태풍, 사이클론, 허리케인은 모두 바람의 최대 속도가 초속 17m를 넘는 열대성저기압을 뜻하는 말입니다. 북태평양 서남부에서 생겨난 것은 태풍, 인도양에서 생겨난 것은 사이클론, 대서양 서부나 북태평양 동부에서 생겨난 것은 허리케인이라고 부릅니다. 예전에는 오스트레일리아 북부에서 생겨나 오스트레일리아나 뉴질랜드 쪽으로 오는 열대성저기압을 '윌리윌리'라고 불렀지만 요즘은 사이클론이라고 부릅니다.

4.

흔히 버섯을 식물로 생각하지만, 버섯은 사실 식물도 동물도 아닌 '균류'에 속합니다. 세균과

82

는 또 다른 종으로 버섯, 곰팡이, 효모와 같은 생물이 균류에 포함됩니다. 균류는 동물보다는 식물에 가까운 존재입니다. 그러나 엽록체를 가지고 스스로 영양분을 만들어 내는 능력이 있어야만 식물로 분류하기 때문에 이런 능력이 없는 균류는 별도의 종으로 묶입니다.

5.
비누, 샴푸, 주방세제의 주요 성분은 '계면활성제'입니다. 이 물질은 물과 기름 양쪽 모두와 잘 어울리는 성질이 있어 물과 기름을 잘 섞이게 할 수 있습니다. 그래서 물에 잘 녹지 않는 기름 성분의 때를 없앨 때에는 계면활성제가 꼭 필요합니다.

　계면활성제는 표면장력을 약하게 만드는 효과도 있습니다. 물은 기름보다 표면장력이 훨씬 큰데, 계면활성제를 물에 녹이면 물의 표면장력을 낮춰서 물과 기름이 섞이기가 더욱 쉬워집니다.

6.
식물이 꽃가루를 옮기는 방법은 크게 2가지가 있습니다. 대부분의 꽃은 곤충을 이용해 꽃가루를 나르는 충매화에 속합니다. 반면 벼, 보리와 같은 곡식이나 소나무, 잣나무, 느티나무 등은 바람을 이용해 꽃가루를 나르는 풍매화에 속합니다. 이 때문에 봄철 꽃가루 알레르기를 일으키는 건 주로 풍매화입니다. 꽃가루가 바람을 타고 우연히 다른 나무의 암술에 묻어야 하기 때문에 충매화와는 비교도 안 될 정도로 많은 꽃가루를 만듭니다.

7.
벌은 서로 소통하기 위해서 '춤'을 사용합니다. 8자를 그리면서 꼬리를 흔들면 꽃을 찾았다는 뜻입니다. 그런데 거리에 따라서 춤이 조금씩 다릅니다. 가까운 곳에 꽃이 있으면 원을 그리면서 춤을 추고, 꽃이 멀리 있을 때에는 8자를 그리면서 춤을 춥니다.

　꽃이 있는 방향이나 벌에게 얼마나 가치가 있는 꽃인지에 따라서도 춤 동작이 조금씩 다릅니다. 최근 연구 결과에 따르면 소통을 위한 춤 동작의 종류가 무려 1500가지가 넘는다고 합니다.

8.
최대공약수는 두 수를 모두 나누어떨어지게 하는 공약수 중 가장 큰 수이고, 최소공배수는 두 수의 공배수 중 가장 작은 수입니다.

9.

파이어스틸은 불을 붙일 때 사용하는 금속 도구입니다. 보통 철, 세륨, 마그네슘 등을 섞어서 만들며, 쇠막대와 긁개가 한 쌍을 이루고 있습니다. 잘 타는 금속으로 이루어진 쇠막대를 긁개로 긁어 불꽃을 일으킵니다. 주성분인 세륨이 철보다 훨씬 낮은 온도에서 불붙기 때문에 전통적인 부싯돌보다 사용하기 쉽습니다.

10.

미생물은 영양분을 얻기 위해 무언가를 먹고, 이를 분해시켜 다른 물질을 내놓습니다. 이때 만들어진 물질이 우리에게 유익하면 발효, 해로우면 부패라고 합니다. 한식에 빠지지 않고 등장하는 김치나 후식으로 자주 먹는 요구르트 등은 발효가 만들어 낸 식품입니다. 반면에 부패는 음식을 상하게 하고 독을 만들어 식중독을 유발합니다.

더 깊게 알아보기

1. $6\frac{1}{7}$

1.5, $2\frac{1}{3}$, 3.25, 4.2, $5\frac{1}{6}$ 을 모두 분수로 바꾸면 $1\frac{1}{2}$, $2\frac{1}{3}$, $3\frac{1}{4}$, $4\frac{1}{5}$, $5\frac{1}{6}$ 입니다. 이 수들은 자연수가 1씩 늘어나고, 분모의 숫자가 1씩 커지는 규칙을 가지고 있습니다. 따라서 $5\frac{1}{6}$ 다음에 올 수는 $6\frac{1}{7}$ 입니다.

2. 5

$\frac{3}{7}$ 을 소수로 바꾸면, 0.428571428571428571…로 소수점 아래로 428571이라는 6개의 숫자가 계속 반복되는 무한소수입니다. 따라서 100번째 숫자는 $100 \div 6 = 16 \cdots 4$이므로, 반복되는 '428571'의 숫자 중 네 번째 숫자인 5와 같습니다.

3. 2 : 3

어떤 두 값의 비를 나타낼 때, (비교하는 양) : (기준량)으로 표현합니다. 따라서 ④에 대한 ⑦의 비는 ⑦ : ④로 나타낼 수 있고, 이 비의 값은 $\frac{⑦}{④}$ 와 같습니다. 따라서 $\frac{2}{3} = 2 : 3$입니다.

4. 199

4와 7의 최소공배수는 28입니다. 따라서 28의 배수 중 200을 넘지 않는 수 중 가장 가까운 수를 구해 3을 더합니다. 이때, 3을 더한 수가 200보다 크지 않아야 합니다.

$28 \times 7 = 196$, $196 + 3 = 199$

5.

비행기는 보통 땅 위로부터 9~12km 높이의 하늘을 납니다. 비행기의 바깥쪽은 영하 50℃에 이를 정도로 엄청나게 춥고, 공기 밀도는 땅 위의 $\frac{1}{4}$, 습도는 0.001%밖에 안 됩니다. 따라서 비행기 안이 바깥 환경과 똑같다면 그 속에서 사람이 살아남을 수 없습니다. 그렇다고 비행기 안에 있는 공기만을 사용한다면 산소는 점점 줄어들고, 공기가 탁해지면서 세균과 바이러스가 늘어날 수 있습니다. 그래서 비행기에서는 '여압 장치'를 사용해서 바깥 공기를 받아들입니다. 제트엔진이 뿜어내는 뜨거운 열로 온도가 200℃까지 올라간 바깥 공기는 세균과 바이러스가 모두 죽습니다. 그다음 적당한 압력과 온도로 조절되어 비행기 안으로 들여보내집니다.

다만 습도는 10% 정도로 매우 건조합니다. 그래서 비행기를 오래 타면 목이 쉽게 마르고 피부가 건조해집니다. 또 압력이 땅보다 낮기 때문에 기압차가 생겨서 귀가 먹먹해질 수도 있습니다.

MEMO

MEMO

MEMO